C000229209

LIBRO DI CUCINA BARBECUE

Guida passo passo facile da seguire per grigliare e affumicare deliziose carni 50 ricette

Saverio Meloni

Disclaimer

Le informazioni contenute in i intendono servire come una raccolta completa di strategie sulle quali l'autore di questo eBook ha svolto delle ricerche. Riassunti, strategie, suggerimenti e trucchi sono solo raccomandazioni dell'autore e la lettura di questo eBook non garantisce che i propri risultati rispecchino esattamente i risultati dell'autore. L'autore dell'eBook ha compiuto ogni ragionevole sforzo per fornire informazioni aggiornate e accurate ai lettori dell'eBook. L'autore e i suoi associati non saranno ritenuti responsabili per eventuali errori o omissioni involontarie che possono essere trovati. Il materiale nell'eBook può includere informazioni di terzi. I materiali di terze parti comprendono le opinioni espresse dai rispettivi proprietari. In quanto tale, l'autore dell'eBook non si assume alcuna responsabilità per materiale o opinioni di terzi.

Sommario

INTRODUZIONE

se ti diverti una buona grigliata di tanto in tanto, ti perdi se non sei con Traeger Dopotutto, i Traeger sono griglie a legna. Alla fine della giornata, il legno e il propano vincono sempre. Il gusto di cuocere la tua carne su un fuoco di legna o carbone ti dà è superiore a qualsiasi altra cosa. La cottura della carne su legno conferisce un sapore eccellente.

Con qualsiasi altra griglia a pellet, dovrai monitorare costantemente il fuoco per evitare fiammate, rendendo il baby sitter un rompicoglioni.Tuttavia, Traeger ha una tecnologia integrata per garantire che i pellet vengano alimentati regolarmente. Per vedere quanto è caldo il grill misura e aggiunge o rimuove legna / pellet per controllare la temperatura Naturalmente, un grill Traeger ha una manopola di controllo della temperatura semplice da usare

Puoi scegliere tra griglie economiche e costose grigliate di Traeger. Scegli uno tra 19.500 BTU o 36.000 BTU. Anche tutto è possibile. Le prestazioni del grill variano con l'intensità della griglia.

Non sono solo griglie. Sono anche mixer. Tutta la zona cottura è oscurata da cappe che si possono tirare verso il basso. Il calore viene forzato nella zona di cottura È probabile che l'aria calda e il fumo vengano distribuiti uniformemente mentre il cibo cuoce nella pentola per questo motivo.

Inoltre, le griglie Traeger sono anche un forno a convezione. In generale, i Traeger sono abbastanza indulgenti. Solo per illustrare ...

puoi usare un Traeger per cucinare una bistecca, oltre che una pizza. Ancora di più. Utilizza anche meno energia. La configurazione iniziale richiede 300 watt. ma solo l'inizio del processo. Dopodiché, la lampadina utilizza solo 50 watt di potenza.

Cos'è il barbecue? Fumare o grigliare?

Sì e no. Sebbene l'uso più comune del termine "barbecue" descriva la griglia del cortile, alcune persone hanno una definizione diversa del termine. Il barbecue può essere diviso in due categorie: caldo e veloce e basso e lento.

Grigliare generalmente utilizza un calore diretto che varia tra 300-500 gradi. Fa un ottimo lavoro su bistecche, pollo, costolette e pesce. Mentre il cibo cuocerà, devi guardarlo attentamente per evitare che si bruci. Acquisirà un sapore meno affumicato. Principalmente, questo è un modo semplice e divertente per cucinare; hai tutto il tempo per uscire con i tuoi amici e la tua famiglia durante la grigliata.

È basso e lento. Il calore e le temperature indirette in un fumatore sono tipicamente compresi tra 200-275. Se sei mai stato a Kansas City, Memphis o in Texas, sai di cosa sto parlando. Un pezzo di carne affumicato lentamente e poco affumicato può impiegare da 2 a 15 ore per sviluppare appieno il suo sapore naturale. Quando guardi dentro una carne affumicata lentamente, "anello di fumo" rosa significa che la carne è stata nell'affumicatore per molto tempo

Come usare il legno nei fumatori di barbecue

L'essenza del buon affumicare il barbecue è il legno. È ciò che dà al piatto il suo sapore. Un tempo il legno era l'unico combustibile disponibile, ma controllare la temperatura e la quantità di fumo che raggiunge la carne è difficile. La maggior parte delle persone oggigiorno usa carbone di legna, gas, pellet o fumatori elettrici. Il legno viene aggiunto in pezzi, pellet o segatura, e fuma e produce una buona quantità di fumo.

L'errore più comune per i principianti è l'affumicatura eccessiva della carne. I principianti dovrebbero iniziare con una piccola quantità di legno e risalire. È un'idea sbagliata comune che dovresti immergere il legno prima di installarlo, ma non fa molta differenza. Il legno non assorbe bene l'acqua ed evapora rapidamente. Quando metti la legna inzuppata sui carboni di carbone, li raffredda e vuoi mantenere la temperatura costante quando affumichi la carne.

A seconda del tipo di legno che usi, il sapore che ottieni varia. Il miglior tipo di legno è il legno secco, non verde. È importante evitare legni contenenti linfa come pini, cedri, abeti, ciprioti, abeti rossi o sequoie quando si sceglie il legno. La linfa conferisce un sapore sgradevole alla carne. Inoltre, gli scarti di legname non dovrebbero mai essere utilizzati perché di solito sono trattati con prodotti chimici. Non è una buona idea fumare un barbecue. Hickory, mela, ontano e mesquite sono alcuni dei legni più popolari. Hickory e mesquite conferiscono alla carne un sapore potente, quindi è meglio per carni molto speziate come le costolette. Il legno di mela e ontano produce un fumo più dolce e leggero, ideale per carni non eccessivamente speziate, come pesce e pollo.

Puoi lanciare le patatine direttamente con il carbone in un affumicatore per barbecue a carbone. I pezzi di legno funzionano meglio sui barbecue a gas. Se hai problemi a far bruciare i pezzi di legno, prova ad avvolgerli nella carta stagnola e a tagliare delle fessure nella parte superiore. Metti i pezzi di legno in un sacchetto di alluminio sopra i carboni ardenti. In pochi minuti, il legno dovrebbe iniziare a bruciare. È fondamentale incorporare la legna nel processo di affumicatura del barbecue il prima possibile. Il fumo viene assorbito più facilmente dalla carne fredda.

Dovresti sempre pesare la quantità di legno che hai messo. Ciò ti consente di regolare la quantità ogni volta per ottenere l'effetto desiderato. A seconda dello spessore della carne, la quantità varierà. Per le costolette, 8 once per petto e maiale stirato e 2 once per pollo, tacchino e pesce, usa circa 4 once di legno.

Se la legna inizia a bruciare o c'è un lungo fumo di barbecue, potrebbe essere necessario essere creativi. Per isolare ulteriormente il legno, mettilo in una padella di ferro sopra le braci. Per fumare più a lungo al barbecue, puoi anche creare una cosiddetta bomba fumogena. Riempi una teglia con abbastanza acqua per coprire i trucioli di legno e l'altra con abbastanza acqua per coprire i trucioli di legno. Quello che non è bagnato inizierà subito a bruciare. Quando l'acqua del secondo evapora, si accenderà e brucerà. Non dovrai continuare ad aprire la porta per aggiungere altra legna in questo modo.

CAPITOLO PRIMO

Ricette alla griglia e affumicate

1. Bistecche Di Maiale Alla Griglia

INGREDIENTI

- Dieci bistecche di maiale spesse 2 cm
- Peperoncino rosso macinato grossolanamente
- Pois neri
- 4-5 cucchiai. olio d'oliva
- 2,5-3 cucchiai. miele
- 5 hl di senape di Digione
- 4 spicchi d'aglio
- sale

- 1 cucchiaio. succo di limone
- 2 pizzichi di origano secco

PREPARAZIONE

1. Macina i piselli neri in un mortaio. Abbiamo lavato la carne, fatto dei piccoli tagli ai lati della carne in modo che non si pieghi e l'abbiamo intinta con un tovagliolo di carta. Salare, cospargere di peperoncino, quindi pepe nero macinato su entrambi i lati.
2. Preparare la salsa. Mescoliamo miele, senape, succo di limone. Premere l'aglio con una pressa, aggiungerlo alla salsa. Mescolare, versare l'olio. Mescola di nuovo. Mettere la carne in una ciotola, versarvi sopra la salsa e spolverare con l'origano. Ci mescoliamo. Coprite con carta stagnola, lasciate marinare per un'ora a temperatura ambiente e mescolate una volta ogni ora.

3. Scaldiamo la padella. Riduci la fiamma a una temperatura media e disponi la carne. Friggere per 4-5 minuti su ogni lato. Buon Appetito!

2. Bistecche Di Maiale Alla Griglia

INGREDIENTI

- 3 porzioni
- 500 grammi di maiale
- sale
- Pepe nero in grani
- Rosmarino
- 1 un pomodoro

- 1 spicchio d'aglio grande
- Olio vegetale per la lubrificazione

PREPARAZIONE

1. Taglia le bistecche da un pezzo di carne. Condirli con sale, pepe e ungere con olio vegetale. Preriscaldare la bistecchiera. Disporre le bistecche e friggerle per 3 minuti su ogni lato, cambiando il motivo. Alla fine della frittura, cospargere le bistecche con il rosmarino, aggiungere il pomodoro e l'aglio.
2. Mettete la teglia nel forno e in modalità grill tenetela ferma per qualche minuto per far soffriggere completamente la carne.

3. Bistecche Di Maiale Alla Griglia

INGREDIENTI

- 6 scapole bistecche (maiale)
- 3 teste Luca
- 1 cucchiaino di sale
- 05 cucchiaini di pepe nero macinato
- 0,5 cucchiaini di paprika macinata

PREPARAZIONE

1. abbiamo battuto il maiale
2. Aggiungere sale, pepe nero, paprika, cipolla - mescolare ... Togliere per 2 ore in un luogo caldo ...

3. Mettere sulla griglia e friggere da ogni lato per 15 minuti ... 30 minuti in totale ...
4. Le bistecche sono pronte, buon appetito

4. Costine di maiale alla griglia

INGREDIENTI

- Costine di maiale - 2 pezzi (4 kg)
- Zucchero bianco - 1 cucchiaio.
- Peperoncino in polvere - 1 cucchiaio.
- Cumino macinato - 1/2 cucchiaino.
- Sale qb
- Pepe nero macinato - a piacere

Per la glassa:

- Sciroppo d'acero - 3/4 tazza
- Peperoncino (seminato e tritato finemente) - 1 pz.
- Salsa piccante - 3 cucchiai.

- Ketchup - 2 cucchiai.
- Senape di Digione - 1,5 cucchiai.
- Aceto di sidro di mele - 1 cucchiaio.

PREPARAZIONE

1. Ungere la griglia con olio vegetale e accendere la griglia per preriscaldare a 150-180 gradi.
2. In una piccola ciotola, unire lo zucchero, il peperoncino, il cumino, 4 cucchiaini di sale e 1 cucchiaino di pepe nero. Grattugiare le costine con questa miscela piccante e metterle da parte.
3. Quando la griglia si è sufficientemente riscaldata, mettere le costine sulla griglia con la pancetta, coprire, grigliare le costine di maiale finché sono teneri, circa 1,5 ore.
4. Nel frattempo preparate la glassa. In una ciotola media, unisci lo sciroppo d'acero, il peperoncino, la salsa piccante, il ketchup, la senape e l'aceto. Continuando

a grigliare le costine di maiale con il coperchio chiuso, spennellatele con questa glassa ogni 2-3 minuti, fino a formare una crosta di caramello (ci vorranno circa 15 minuti). Trasferire le costine finite in un piatto, ungere con la glassa rimasta, lasciare in ammollo e servire subito.

5. Maiale con pepe, zenzero e salsa di soia

INGREDIENTI

- Carne di maiale (filetto) - 450 g
- Peperoncino, senza semi - 1 pz.
- Aglio - 3 chiodi di garofano
- Zenzero fresco - 1 pezzo (5 cm)
- Cipolle verdi - 5 pezzi
- Olio d'oliva - 2 cucchiai.
- Salsa di soia - 4 cucchiai.
- Aceto di riso (o altro aceto morbido) - 4 cucchiai
- Miele - 1 cucchiaio.
- sale
- Pepe nero macinato

PREPARAZIONE

1. Preriscalda il barbecue o la griglia (carbone).
2. Tritate finemente il peperoncino, l'aglio, lo zenzero e il cipollotto. Su un pezzo di carne, eseguire dei tagli diagonali (fino alla metà) a una distanza di 3 cm l'uno dall'altro. Mescola tutti gli ingredienti tranne il maiale. Condite con sale e pepe a piacere. Spennellare il composto cotto sulla carne di maiale in modo che cada nei tagli della carne.
3. Barbecue la carne per circa 20 minuti, girandola spesso (delicatamente). Trasferire in un piatto da portata e lasciare in un luogo caldo per 10 minuti.
4. Tagliare la carne in diagonale (opposta) a fette di 1 cm. Servire con l'insalata di cavolo cappuccio. Buon Appetito!

6. Costine di maiale con salsa barbecue

INGREDIENTI

- Sale - 1 cucchiaio
- Pepe nero macinato - 1 cucchiaio
- Pepe rosso macinato - 1/2 cucchiaino.
- Costine di maiale - 3 strisce (circa 2,5 kg)
- Lime (tagliato a metà) - 2 pezzi
- Salsa barbecue

PREPARAZIONE

1. Rimuovere la pellicola dalle costole. In una piccola ciotola, unire sale, peperoni rossi e neri.
2. Grattugiare le costine di maiale su tutti i lati con una fetta di lime. Quindi cospargere con una miscela di sale e pepe

su tutti i lati. Avvolgere le costine nella pellicola, metterle in una teglia e mettere in frigorifero per 8 ore in modo che siano completamente sature di pepe e sale (marinate).

3. Accendi il forno con funzione grill per preriscaldare a 180 gradi. Togliere le costine dal frigorifero, rimuovere la pellicola e disporle sulla griglia. Grigliare le costine di maiale in forno fino a dorarle, per circa 40 minuti. Quindi spennellate le costine con salsa barbecue e infornate per altri 30 minuti.
4. Servire le costine di maiale fritte calde, irrorare con la salsa barbecue rimanente.

7. Spiedini di filetto di maiale, ananas e peperoni

INGREDIENTI

- Ananas, in scatola a pezzi - 230 g
- Aceto di mele - 2 cucchiai. l + 1 1/2 cucchiaino
- Zucchero di canna - 2 cucchiai l.
- Un pizzico di pepe nero macinato
- Filetto di maiale (tagliato a pezzi da 2,5 cm) - 250 g
- Peperone rosso bulgaro (tagliato a cubetti 1,3 cm) - 1/2 pz.
- Pepe verde bulgaro (tagliato a cubetti 1,3 cm) - 1/2 pz.

- Riso cotto per guarnire (facoltativo)

PREPARAZIONE

1. Scolare l'ananas, riservare il succo. Mettete l'ananas in una ciotola e mettete in frigorifero. In una ciotola unire il succo d'ananas, l'aceto, lo zucchero di canna e il pepe nero. Versare metà della marinata in un grande sacchetto di plastica con elementi di fissaggio e mettere lì il filetto di maiale tritato. Fissate il sacchetto, agitate bene e mettete in frigorifero per 4 ore. Coprite il resto della marinata e mettete in frigorifero.
2. Accendi la griglia per preriscaldare a temperatura media. Togli la carne dalla marinata. Su spiedini di metallo o di legno (imbevuti di acqua), strofinare a turno la carne, l'ananas e il pepe. Mettere gli spiedini di maiale con ananas e pepe sulla griglia e cuocere, coperti, per circa

10-15 minuti, spennellando con la marinata riservata e girando.

3. Servire spiedini di maiale con ananas e pepe con riso bollito (facoltativo)

8. Costolette di maiale alla griglia

INGREDIENTI

- Costine di maiale - 2,7 kg
- Nettare di pesca - 3 tazze
- Passata di pomodoro non salata - 420 g
- Cipolle (tritate finemente) - 1 bicchiere
- Zucchero di canna - 1/2 tazza
- Sale - 1 cucchiaino
- Senape in polvere - 1 cucchiaio
- Una miscela di cinque spezie - 2 cucchiaini
- Aglio in polvere - 1 cucchiaino
- Pepe nero macinato - 1 cucchiaino.

- Salsa di soia - 1/3 di tazza
- Aceto di riso - 1/4 tazza
- Salsa piccante (calda) - 2-3 cucchiaini.

PREPARAZIONE

1. In una piccola ciotola, unire lo zucchero di canna, il sale, la senape in polvere, la miscela di cinque spezie, l'aglio in polvere e il pepe nero. Rimuovere il grasso dalle costole. Grattugiate le costine su tutti i lati con un composto piccante e mettetele su una teglia, coprite e mettete in frigorifero per una notte.
2. Metti un contenitore sotto la griglia per scolare il succo. Mettere le costine su una gratella, arrostire e friggere sotto un coperchio chiuso per 1,5-1,75 ore.
3. Nel frattempo, prepara la salsa. In una grande casseruola, unire il nettare, la salsa di pomodoro, le cipolle, la salsa di soia, l'aceto e la salsa piccante. Portare la salsa a ebollizione a fuoco medio,

abbassare la fiamma e cuocere a fuoco lento la salsa, scoperta, per circa 50 minuti, fino a quando non si sarà addensata (dovresti fare circa 3 bicchieri di salsa). Spennellate le costine con la salsa ogni 15 minuti.

4. Servire le costine con la salsa rimanente.

9. Filetto di Maiale Marinato al Miele di Senape

INGREDIENTI

- Filetto di maiale - 900 g
- Miele - 2/3 di tazza

- Senape di Digione - 0,5 tazze
- Peperoncino macinato - 0,25-0,5 cucchiaini
- Sale - 0,25 cucchiaini

PREPARAZIONE

1. Mettere i pezzi di filetto di maiale in un sacchetto stretto (o un contenitore adatto con un coperchio). Mescolare a parte i restanti ingredienti per la marinata di senape al miele con il peperoncino.
2. Metti da parte 2/3 tazza di marinata. Versare la marinata rimanente sulla carne. Girare la carne nella busta in modo che sia completamente marinata. Mettere la carne di maiale marinata al miele in frigorifero per almeno 4 ore. Voltati di tanto in tanto.
3. Scolare la marinata. Cuocere il maiale in una griglia chiusa a fuoco medio per 8-9 minuti su ciascun lato (per la carne finita,

il succo rilasciato durante la perforazione deve essere trasparente).

4. Riscaldare la rimanente salsa marinata al miele e senape in una salsiera. Cospargere la carne durante il servizio.

10. Filetto di maiale alla griglia con insalata di avocado

- Filetto di maiale (tagliato a fette di 2 cm di spessore) - 2 pezzi (400 g l'uno)
- Cipolla rossa (tritata finemente) - 1/2 tazza
- Succo di lime - 1/2 tazza

- Peperoncino (seminato e tritato finemente) - 1/4 tazza
- Olio d'oliva - 2 cucchiai. Cumino macinato (cumino) - 4 cucchiaini.

Per l'insalata:

- Avocado medio (a cubetti) - 2 pezzi
- Pomodori alla crema (a dadini) - 2 pezzi
- Cetriolo piccolo (sbucciato e tagliato a dadini) - 1 pz.
- Cipolle verdi (tritate) - 2 pezzi
- Coriandolo fresco (tritato) - 2 cucchiai.
- Miele liquido - 1 cucchiaio. Sale - 1/4 cucchiaino.
- Pepe nero macinato - 1/4 cucchiaino. Gelatina di peperoncino - 3 cucchiai.
- Olio vegetale per grigliare

PREPARAZIONE

1. In una piccola ciotola, unire le cipolle rosse, il succo di lime, i peperoncini, l'olio d'oliva e il cumino. Versare 1/2 tazza

della marinata risultante in un grande sacchetto di plastica con elementi di fissaggio e inserire il filetto di maiale tritato. Allaccia la busta e mescola bene il contenuto. Mettete il sacchetto di carne in frigorifero per 2 ore. Prendi un altro 1/3 di tazza dalla marinata rimanente, copri e metti da parte. Versare la marinata rimanente in una grande ciotola, mettere l'avocado, i pomodori, il cetriolo, le cipolle verdi, il coriandolo, il miele, il sale e il pepe nero nello stesso punto, mescolare, coprire e conservare in frigorifero fino a servire.

2. In una piccola casseruola, unire la marinata riservata, 1/3 di tazza e la gelatina di peperoncino. Portare a ebollizione a fuoco medio e cuocere, mescolando di tanto in tanto, per circa 2 minuti.

3. Ungere la griglia con olio vegetale e accendere la griglia per preriscaldare a temperatura media. Togliete il filetto di maiale dalla busta con la marinata e mettete sulla griglia, grigliate il maiale senza coprirlo, per circa 4-6 minuti per lato, ungendo con il contenuto della casseruola.
4. Servire il filetto di maiale con insalata di avocado e pomodori.

11. Maiale in salsa teriyaki con insalata di verdure

INGREDIENTI

- Maiale - 500 g
- Carote - 200 g (1 pz.)
- Zucchine o zucchine - 200 g (1 pz.)

- Fagiolini (freschi o congelati) - 150 g
- Salsa teriyaki con miele - 50 ml
- Succo d'arancia - 30 ml
- Olio d'oliva - 30 ml
- Sesamo - 15 g

PREPARAZIONE

1. Prepara tutti gli ingredienti di maiale nella salsa teriyaki. Lavate, pelate e asciugate le verdure. Fai lo stesso con la carne.
2. Grattugiare zucchine o zucchine giovani sulla stessa grattugia in una ciotola con le carote.
3. Taglia i fagioli a metà. Unisci le verdure e metti da parte.
4. Taglia la carne di maiale a cubetti.
5. Infilare i pezzi di carne su spiedini di legno, precedentemente ammollati in acqua.

6. Spennellare il maiale con salsa teriyaki al miele e disporlo sulla griglia o sulla griglia.
7. avere una bistecchiera, puoi grigliare o aprire il fuoco. Grigliare la carne per circa 20 minuti finché sono teneri, spazzolando di tanto in tanto con la salsa.
8. Per condire, unire i semi di sesamo, il succo d'arancia e l'olio vegetale. Mescola le verdure in una ciotola.
9. Mettere l'insalata di zucchine, carote e fagioli su un piatto, aggiungere la salsa all'insalata e mescolare. Metti lo spiedino di maiale sopra.
10. Un delizioso e nutriente piatto di maiale è pronto!

12. Maiale alla griglia con insalata di mango

INGREDIENTI

- Yogurt naturale senza additivi - 2 cucchiai.
- Miele - 2 cucchiaini. Aglio (tritato) - 2 chiodi di garofano
- Aceto di vino bianco - 1 cucchiaino
- Cumino macinato (cumino) - 1/2 cucchiaino.
- Sale - 1/4 cucchiaino.
- Curcuma macinata - 1/4 cucchiaino. Aglio in polvere - 1/8 cucchiaino
- Cannella in polvere - 1/8 cucchiaino. Pepe rosso macinato - 1/8 cucchiaino.

- Un pizzico di zenzero macinato. Cotolette di maiale intere - 4 pezzi (110 g l'uno)

Per l'insalata:

- Mango grande (sbucciato e tagliato a dadini) - 1 pz.
- Cipolla rossa (tritata finemente) - 3/4 tazza
- Pomodori freschi (a dadini) - 3/4 tazza
- Peperoncino fresco (seminato e tritato finemente) - 1/2 pz.
- Succo di lime - 2 cucchiaini
- Sale - 1/4 cucchiaino. Olio vegetale per grigliare

PREPARAZIONE

1. In un grande sacchetto di plastica, unisci yogurt, miele, aglio, aceto, cumino, sale, curcuma, aglio in polvere, cannella, peperoncino e un pizzico di zenzero macinato. Mettere le cotolette di maiale in questa marinata, chiudere il sacchetto,

shakerare bene e mettere in frigorifero per 2 ore.

2. Nel frattempo, in una ciotola unire tutti gli ingredienti per l'insalata, mescolare e lasciare a temperatura ambiente per 1 ora. Quindi coprire e conservare in frigorifero.
3. Ungere la griglia con olio vegetale e accendere la griglia per preriscaldare a temperatura media. Togliete il sacchetto di carne dal frigorifero, togliete le cotolette di maiale dal sacchetto e mettetele sulla griglia. Grigliare la carne di maiale con il coperchio chiuso, circa 6-10 minuti per lato (il termometro per carne dovrebbe indicare una temperatura di 80 gradi).
4. Servire cotolette di maiale con insalata di mango.

CAPITOLO DUE
Ricette di manzo e frutti di mare

13. Tacos Di Manzo Alla Griglia Con Patate Dolci

INGREDIENTI

- Manzo
- 450 g di fianco di manzo, tagliato in 2 pezzi
- 1 cipolla, tagliata in quarti
- 30 ml (2 cucchiai) di olio vegetale
- 30 ml (2 cucchiai) di zucchero di canna
- 30 ml (2 cucchiai) di succo di lime
- 15 ml (1 cucchiaio) di salsa di soia

- 1 ml (1/4 cucchiaino) di salsa Tabasco Jalapeno
- 2,5 ml (1/2 cucchiaino) di pepe di Caienna, guarnire
- 2 patate dolci, sbucciate e tagliate a cubetti
- 30 ml (2 cucchiai) di olio vegetale
- 12 tortillas di mais morbide di circa 15 cm di diametro
- 1 avocado, sbucciato e affettato
- Panna acida, quanto basta
- Salsa piccante al chipotle, quanto basta
- Spicchi di lime, quanto basta

PREPARAZIONE

Manzo

1. In un sacchetto ermetico o in un piatto, mescola tutti gli ingredienti. Chiudi la busta o copri il piatto. Mettete in frigorifero 8 ore o durante la notte.

Scolare la carne e le cipolle. Getta la marinata.

2. Posizionare un barbecue wok sulla griglia del barbecue. Preriscalda il barbecue ad alta potenza. Ungere la griglia.

Contorno

3. Sovrapponi due grandi fogli di carta stagnola. Al centro aggiungere le patate dolci. Olio, sale e pepe. Chiudi bene l'involucro.
4. Posizionare la pellicola sulla griglia, chiudere il coperchio e cuocere per 20 minuti, girando la pellicola a metà cottura. Togliere le patate dolci e schiacciarle grossolanamente con una forchetta. Mantieni calda la pentola schiacciata.
5. Nel frattempo cuocere la cipolla nel wok del barbecue finché non inizia a dorarsi. Grigliare la carne per 3-5 minuti su ciascun lato per cotture rare. Sale e pepe.

Lascia riposare la carne su un piatto per 5 minuti. Riscalda le tortillas sulla griglia.

6. Su un piano di lavoro affettare sottilmente la carne. Spalmare le tortillas con purea di patate dolci. Guarnire con fette di manzo, cipolle e avocado. Servire con panna acida, salsa chipotle e spicchi di lime, se lo si desidera.

14. Spalla di cinghiale sul fumatore

Resa 6-8 porzioni

INGREDIENTI

- Spalla di cinghiale 4 libbre (2,2 kg)
- 1/4 tazza di salsa Worcestershire
- 1/4 tazza di salsa di soia
- 2 spicchi d'aglio, tritati
- 1/2 cucchiaio. senape in polvere
- 1/4 tazza di olio d'oliva
- 1/2 bicchiere di vino rosso
- Succo di 1 lime. succo di 1 limone
- 1/2 tazza di succo d'arancia
- 1/4 cucchiaio. pepe nero spezzato
- 1 cucchiaio di rosmarino tritato

- 1 cucchiaio di salvia tritata
- 1 cucchiaio di coriandolo tritato

PREPARAZIONE

1. In una ciotola capiente, unire tutti gli ingredienti tranne il cinghiale.
2. Coprite e lasciate riposare 1 o 2 ore per permettere ai sapori di sposarsi.
3. Mettere la spalla di cinghiale in una grande casseruola e guarnire con la marinata, strofinando bene la carne. Puoi anche metterlo in una borsa a chiusura lampo
4. Copri e metti in frigorifero per 4-6 ore. Rimuovere la carne dalla marinata, riservando la marinata.
5. Preparare una fossa per l'affumicatura o un affumicatore elettrico a una temperatura compresa tra 250 ° e 300 ° F o secondo le istruzioni del produttore, utilizzando Mesquite e legno di Pecan.

6. Affumicare la spalla di cinghiale per 3 o 4 ore o fino a quando la temperatura interna non raggiunge i 165 ° F, bagnando con la marinata ogni 30 minuti. Se si utilizza una griglia, cuocere a una temperatura interna di 135 - 138 ° F per la cottura medio-rara o desiderata. Affettate e servite come cinghiale.

15. Ricetta di manzo essiccato - dolce e piccante

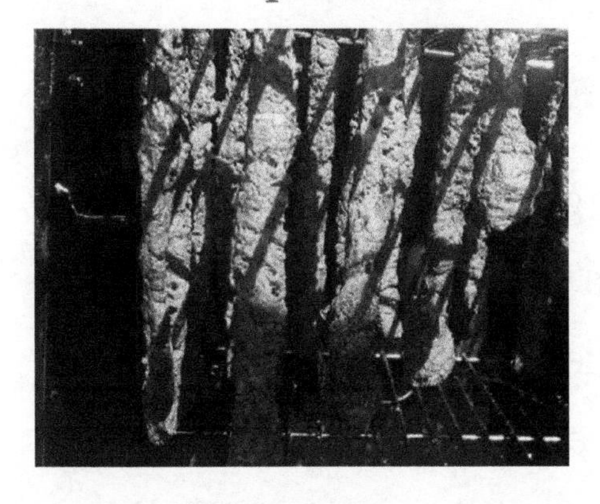

INGREDIENTI

- 1 libbra di tondo da interni
- Marinata
- 1 C. Salsa piccante
- 1 C. Zenzero macinato
- 1/3 di tazza di salsa di soia
- 1/2 tazza di salsa teriyaki
- 1/2 tazza di salsa Worcestershire
- 1 C. Tabasco
- 1 C. succo di limone
- 1 cucchiaio di sale all'aglio
- 1 C. Cipolla in polvere

- 1 C. pepe macinato
- 1/2 tazza di zucchero di canna

PREPARAZIONE

1. Sbatti tutti gli ingredienti (eccetto la carne) in una grande ciotola di vetro.
2. Aggiungere le strisce di manzo (cervo, alce o altro) e mescolare per immergere completamente nella marinata. Coprite e lasciate marinare in frigorifero per 24 ore. Mescolare alcune volte durante la marinatura.
3. Rimuovere la carne dalla marinata e scartare la marinata rimanente. Stendere le strisce di carne sugli scaffali dell'affumicatore o appenderle senza toccarle. Prendi i tuoi legni preferiti per fumare.
4. Mettere sull'affumicatore da 6 a 8 ore a bassa temperatura senza vaschetta dell'acqua 160F - 70C. Dovrebbero

rimanere abbastanza morbidi da piegarsi senza rompersi. Conservare in un contenitore ermetico.

16 Cozze Con Cipolle Verdi E Zenzero

INGREDIENTI

- 2 tavoli. l. - olio d'oliva
- 1 tavolo. l. - zenzero tritato
- 3-4 pz. - uno spicchio d'aglio
- 1 PC. - peperoncini
- 2 mazzi - cipolle verdi
- ½ bicchiere - vino bianco secco
- 20 pz. - cozze sbucciate
- 4 tavoli. l. - burro
- Da gustare - sale.

PREPARAZIONE

1. Preriscalda la griglia a una temperatura media di 110 gradi.
2. Versare l'olio d'oliva in un contenitore, mettere il burro, una volta che l'olio è caldo aggiungere l'aglio tritato, i peperoncini tritati finemente, la radice di zenzero e mezza cipolla verde.
3. Cuocere per non più di 1 minuto.
4. Aggiungere le cozze, bagnare con il vino (può essere sostituito con l'acqua), mescolare velocemente.
5. Cuocere con il coperchio chiuso per 5 minuti (mescolando di tanto in tanto). Le cozze sono pronte quando si aprono.
6. Il sale viene aggiunto a fine cottura.
7. Trasferire i frutti di mare caldi in un piatto, cospargere con le cipolle rimanenti in cima.

17 Gamberi Alla Griglia In Marinata Aromatica

INGREDIENTI

- 800 g - gamberetti sgusciati
- 1 tavolo. l. - olio d'oliva
- 3 tavoli. l. - burro fuso
- 6 spicchi - aglio
- 2 tavoli. l. - miele
- 2 tavoli. l. - succo di lime
- 1/2 tè l. - sale
- A piacere: pepe rosso e nero macinato.

PREPARAZIONE

1. Mescolare il burro con l'olio d'oliva. Aggiungi il succo di lime, il miele e l'aglio tritato.
2. Mescolare separatamente sale, pepe nero e rosso. Se lo si desidera, è possibile aggiungere erbe aromatiche.
3. Cospargere i gamberi con la miscela secca, mescolare. Quindi lasciate riposare per 15 minuti.
4. Versare sopra la marinata cotta, quindi infilare su bastoncini di legno o spiedini.
5. Preriscalda la griglia a 160 gradi. Posizionare i frutti di mare sulla griglia.
6. Cuoci ogni lato per 3 minuti. I gamberi sono completamente cotti quando diventano trasparenti.
7. Servire caldo in tavola.

18 Insalata di mare alla griglia e salsa verde con basilico thailandese

INGREDIENTI

- Salsa verde
- 30 g (1 tazza) di foglie di basilico thailandese
- 30 g (1 tazza) di foglie di coriandolo
- 60 ml di olio vegetale
- 45 ml (3 cucchiai) di succo di lime
- 30 ml (2 cucchiai) di acqua
- 1 cipolla verde, tagliata a sezioni
- Frutti di mare e verdure
- 900 g (2 libbre) di cozze, pulite

- 225 g (1/2 lb) gamberetti medi (31-40), sgusciati e sgusciati
- 4 calamari piccoli, mondati
- 15 ml (1 cucchiaio) di olio vegetale
- 15 ml (1 cucchiaio) di succo di lime
- 10 ml (2 cucchiaini) di salsa di pesce (nuoc-mam)
- 2 cucchiaini (10 ml) di curcuma
- 1 bulbo di finocchio, tagliato a fettine sottili con la mandolina
- 400 g (2 tazze) di patate novelle, cotte
- 2 cipolle verdi, tritate
- 1 pomodoro, tagliato in quarti
- Foglie di basilico thailandese, quanto basta

PREPARAZIONE

1. Salsa verde
2. Nel robot da cucina, macinare finemente tutti gli ingredienti.
3. Frutti di mare e verdure

4. Preriscalda il barbecue ad alta potenza. Ungere la griglia.
5. In una ciotola capiente, unire le cozze, i gamberi, i calamari, l'olio, il succo di lime, la salsa di pesce e la curcuma. Sale e pepe.
6. Mettere le cozze direttamente sulla griglia del barbecue. Chiudere il coperchio del barbecue e cuocere le cozze per 3-5 minuti o finché non sono tutte aperte. Scartare quelli che rimangono chiusi. Mettere in una ciotola. Sgusciate le cozze (tenetene un po 'per il servizio, se lo desiderate).
7. Grigliare gamberi e calamari per 2-3 minuti per lato o finché gamberi e calamari non sono cotti e dorati. Su una superficie di lavoro, taglia i calamari a fette di 1 cm (1/2 pollice).

8. Mettete i finocchi in una ciotola. Ungere leggermente, quindi condire con sale e pepe.
9. Distribuire frutti di mare e verdure sui piatti. Cospargere di salsa verde e guarnire con foglie di basilico thailandese.

19 Gamberi alla griglia con salsa alla menta

INGREDIENTI

- 500 g di gamberetti

per la salsa

- Metà della menta fresca
- 1-2 scalogni

- 3 spicchi d'aglio
- 2 cucchiai di aceto di mele
- 1 bicchiere da tè di olio d'oliva
- 1 cucchiaino di zucchero
- 2 cucchiaini di sale
- 1 cucchiaino di paprika rossa

PREPARAZIONE

1. Per la salsa, mettere tutti gli ingredienti tranne l'olio d'oliva nel frullatore e far funzionare il frullatore. Aggiungere lentamente l'olio d'oliva e avere una consistenza densa. Estrarre i gamberi e metterli in un piatto fondo. Passa il mouse sopra la salsa e trova tutti i lati. Avvolgere la pellicola estensibile e lasciare in frigorifero per almeno 2-3 ore. Passare i gamberi alla bottiglia. Cuocere sulla griglia surriscaldata. Servire caldo.

20 Branzino alla Griglia con Verdure

INGREDIENTI

- 2 persici
- 1 cipolla
- 2 spicchi d'aglio
- 1 patata

- 1 carota
- 1 limone
- 2 rametti di rosmarino

per la salsa

- 1 bicchiere da tè di olio d'oliva
- 2 spicchi d'aglio schiacciati
- 1 cucchiaino di pepe rosso macinato
- 1 cucchiaino di paprika rossa
- 1 cucchiaino di pepe nero
- 2 cucchiaini di sale

PREPARAZIONE

1. Pulisci il pesce persico. Affettare tutte le verdure in modo che siano molto sottili. Hai riempito il pesce di verdure.
2. Aggiungi il rosmarino. Mescolare bene gli ingredienti per la salsa con una forchetta.
3. Legate i pesci con la corda e portateli al barbecue.

4. Spennellate con l'aiuto della salsa che preparate e cuocete il duplex di pesce. Servire.

CAPITOLO TRE
Ricette Di Verdure

21 Asparagi alla griglia

INGREDIENTI

- Acqua - 1 bicchiere
- Asparagi freschi - 450 g
- Salsa barbecue - 1/4 tazza

PREPARAZIONE

1. In una padella capiente, porta a ebollizione 1 tazza di acqua. Mettere gli

asparagi in acqua bollente, coprire la padella con un coperchio e sbollentare gli asparagi per circa 4-6 minuti, fino a che non saranno completamente morbidi. Togliere gli asparagi dall'acqua e trasferirli su carta assorbente, asciugare bene per eliminare tutto il liquido.

2. Immergere gli spiedini di legno in acqua fredda per 5 minuti in modo che non si brucino durante la frittura. Accendi la griglia per preriscaldare a fuoco medio.
3. Infilare gli asparagi raffreddati su spiedini di legno (come mostrato nella foto).
4. Mettere gli asparagi sulla griglia e cuocere scoperti per circa 1 minuto per lato. Quindi spennellate gli asparagi con la salsa barbecue e cuocete per altri 2 minuti circa, girate, ungete l'altro lato con la salsa e cuocete per circa 1 minuto.
5. Servi subito gli asparagi.

22 peperoni ripieni alla griglia

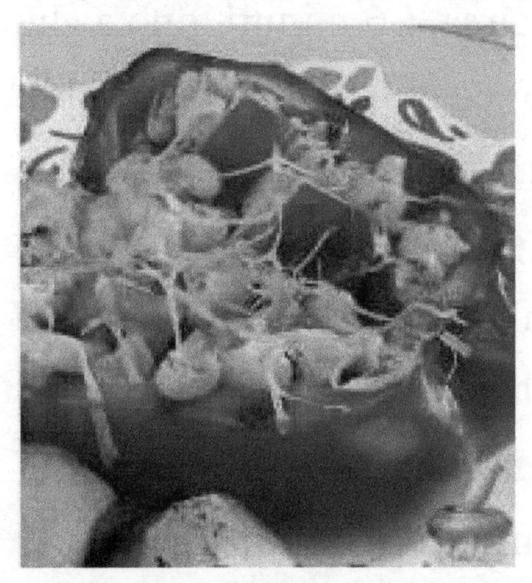

INGREDIENTI

- Olio d'oliva - 1/2 tazza + 2 cucchiaini.
- Parmigiano (sminuzzato su una grattugia) - 3/4 tazza
- Foglie di basilico fresco - 2 tazze
- Semi di girasole (noccioli) o noci (noccioli) - 2 cucchiai.
- Aglio - 4 chiodi di garofano
- Pepe bulgaro (seminato e tritato finemente) - 1/2 tazza

- Chicchi di mais (in scatola) - 4 tazze
- Pepe bulgaro di medie dimensioni - 4 pezzi
- Parmigiano (grattugiato) (per servire) - 1/4 tazza

PREPARAZIONE

1. Accendi la griglia per preriscaldare a temperatura media.
2. Preparate il pesto. Versare 1/2 tazza di olio d'oliva nella ciotola di un robot da cucina o un frullatore, aggiungere 3/4 tazza di formaggio, basilico, semi (o noci) e aglio, pulsare fino a che liscio.
3. In una padella capiente, scaldare l'olio d'oliva rimasto, aggiungere il peperone tritato e friggere, mescolando di tanto in tanto, fino a renderlo morbido. Aggiungere il mais e il pesto nella padella e mescolare bene.

4. Taglia a metà un peperone intero, elimina i semi e gli steli. Mettere le metà su una griglia preriscaldata, affettare. Mettere il coperchio sulla griglia e cuocere i peperoni per circa 8 minuti. Quindi farcire le metà del pepe con la miscela di mais e grigliare per altri 4-6 minuti, fino a quando il pepe non sarà morbido.
5. Servire il piatto finito cosparso di parmigiano.

23 cotolette di zucchine

INGREDIENTI

- Zucchine - 750 g
- Sale e pepe nero
- Uovo (leggermente sbattuto) - 1 pz.
- Farina grossolana - 2/3 di tazza (60 g)
- Noce moscata tritata - 1/4 cucchiaino.

Per la salsa:

- Scorza di limone - 1 cucchiaino
- Succo di limone - 1 cucchiaio.
- Menta (tritata) - 3-4 cucchiai.
- Yogurt senza grassi (naturale) - 150 g

PREPARAZIONE

1. Macinare le zucchine con un frullatore o su una grattugia fine, aggiustare di sale, lasciare per 30 minuti a temperatura ambiente. Quindi sciacquare in uno scolapasta sotto l'acqua fredda corrente. Strizzare bene con le mani e mettere su un tovagliolo di carta, asciugare.
2. Trasferite le zucchine tritate in una ciotola e aggiungete l'uovo, la farina, la noce moscata e il pepe. Mescolate bene il tutto e lasciate fermentare a temperatura ambiente per 20 minuti.
3. Prepara la salsa. In una ciotola separata, unisci limone, scorza, menta e yogurt. Copri e metti in frigorifero.
4. Riscalda una padella o una padella a fuoco medio. Versare il composto di zucchine (1 cucchiaio ciascuno) nella padella e formare delicatamente le

polpette. Friggere per 3-4 minuti su ogni lato. Servire con salsa allo yogurt.

24 Orzo Pasta con Gamberi Alla Griglia e Verdure

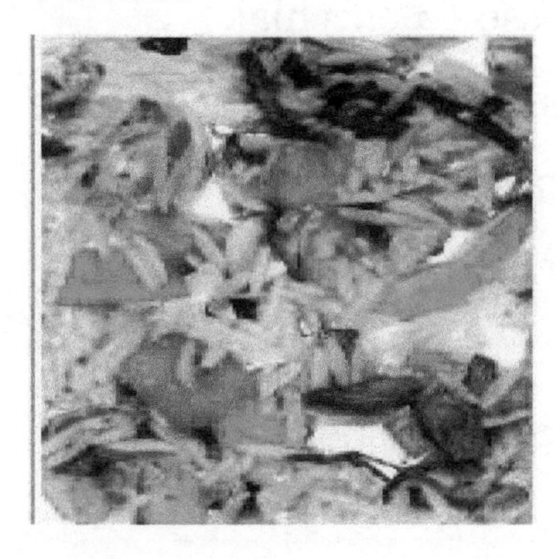

INGREDIENTI

- Pasta Orzo - 230 g
- Zucchine o zucchine gialle (tagliate a fette da 0,5 cm) - 2 pezzi (circa 260 g)
- Peperone rosso o giallo bulgaro (seminato e tagliato in quarti) - 1 pz.
- Pesto - 3 cucchiai., Succo di lime fresco - 2 cucchiai

- Gamberetti freschi o congelati (crudi) (pelati) - 450 g
- Pomodori freschi (pelati e tagliati a cubetti di 1 cm) - 250 g
- Olio extravergine di oliva - 6,5 cucchiai, aceto di vino rosso - 4 cucchiai.
- Foglie di basilico fresco (tagliate a listarelle) - ½ tazza
- Mozzarella (tagliata a cubetti di 1 cm) - 230 g
- Foglie di basilico fresco per servire

PREPARAZIONE

1. Preparare la pasta ortso in abbondante acqua salata, secondo le istruzioni riportate sulla confezione. Asciugare la pasta, sciacquare sotto acqua corrente fredda, asciugare nuovamente. Trasferire in una ciotola grande e mescolare con 1 cucchiaio di olio d'oliva.

2. Accendi la griglia per preriscaldare a temperatura media. In una piccola ciotola, unisci 2 cucchiai di olio e 2 cucchiai di aceto. Ungere le zucchine e il pepe con una miscela di olio, cospargere di sale e pepe. Mescolare separatamente il pesto, il succo di lime, 3,5 cucchiai di olio e 2 cucchiai di aceto. Mettere i gamberi in una ciotola media e condire con 2 cucchiai di aceto di pesto, mescolare.
3. Mettere le zucchine e i peperoni sulla griglia e friggere fino a renderli croccanti, circa 3-4 minuti per lato. Trasferisci le verdure su un tagliere. Cospargere i gamberi con sale e pepe, disporli sulla griglia e cuocere per circa 2-3 minuti per lato. Mettere i gamberi fritti in una ciotola con l'ortso. Tagliate a cubetti le zucchine e il peperone e metteteli in una ciotola con l'ortso. Aggiungere il restante

aceto di pesto, i pomodori, il basilico tritato e il formaggio. Condire con sale e pepe a piacere, mescolare bene.

4. Servire subito il piatto cosparso di foglie di basilico o raffreddare in frigorifero.

25 melanzane fritte con salsa di pomodoro

INGREDIENTI

- Melanzane - 2 pezzi
- Olio d'oliva - 4 cucchiai.
- Aglio - 2 chiodi di garofano
- Paprika - ½ cucchiaino.
- Sale marino

- Pepe nero, macinato al momento
- Pomodori (in scatola, tagliati a pezzi) - 400 g

PREPARAZIONE

1. Preriscaldare un barbecue o una bistecchiera in ghisa con fondo rigato. Tagliate le melanzane a cerchi di 1 cm e mettetele in uno scolapasta. Cospargere di sale, premere con un piatto e lasciare riposare per 15 minuti. Risciacquare e asciugare tamponando con un tovagliolo di carta.
2. Preriscalda 1 cucchiaio. l. burro in una padella a fuoco basso. Aggiungere le fette aglio e paprika. Cuocere per pochi secondi, salare e pepare. Incorporare la polpa di pomodoro, portare a ebollizione

a fuoco vivace, abbassare la fiamma e cuocere a fuoco lento per 15 minuti.

3. Spennellate le melanzane con l'olio rimanente e grigliate su un barbecue o una padella per 3 minuti su ciascun lato, fino a doratura. Versare sopra la salsa di pomodoro cotta e servire.
4. Buon Appetito!

26 verdure grigliate con erbe aromatiche

INGREDIENTI

- Zucchine giovani - 2 pezzi, Melanzane giovani - 2 pezzi, Cipolle a bulbo - 2 pezzi.

- Pepe bulgaro - 3 pezzi, Pomodori - 4 pezzi, peperoncino - 4 pezzi

Per la marinata:

- Olio d'oliva - 3-4 cucchiai. cucchiai, luppolo-suneli - 2 cucchiaini
- Timo secco - 2 cucchiaini, pepe nero appena macinato - a piacere
- Sale qb

PREPARAZIONE

1. Taglia le melanzane a cerchi. Preferisco tagliarli più spessi, da circa uno e mezzo a due centimetri. Tagliate le zucchine allo stesso modo.
2. Pelate le cipolle. E tagliare in cerchi. Anche con lui "piccolo" non è necessario. Metti le cipolle sugli spiedini in modo che gli anelli non si sfaldino durante la cottura alla griglia.

3. Affinché gli spiedini non siano troppo lunghi e non interferiscano con la cottura, li taglio con un potatore.
4. Togli il torsolo dal peperone e taglialo in 4 pezzi.
5. I pomodori non hanno bisogno di alcuna preparazione speciale; hanno solo bisogno di essere lavati. Fai lo stesso con i peperoncini rossi.
6. Passiamo alla preparazione di un impasto per il decapaggio delle verdure. In una ciotola profonda, mescolare il luppolo suneli, il timo, il sale e il pepe macinato fresco. Versare le spezie con olio d'oliva. Mescola il contenuto della ciotola.
7. Trasferisci le verdure in una ciotola profonda. Riempirli con una miscela di olio ed erbe aromatiche. Distribuire uniformemente il composto su tutta la superficie delle verdure (ad eccezione di

pomodori e peperoncino - non li marineremo, perché non abbiamo tagliato la pelle in alcun modo e la marinata semplicemente non penetrerà all'interno). Lasciate marinare le verdure per 15 minuti.

8. Grigliare i carboni. Durante la preparazione della griglia sono passati altri 10-15 minuti, il che significa che le verdure erano completamente marinate. Non subito, già a fuoco lento, senza timore che si brucino, stendete le verdure sulla griglia. Dopo circa 4-5 minuti, girare le verdure e grigliare per lo stesso tempo.

27 patate e pomodori alla griglia

INGREDIENTI

- Patate giovani - 900 g
- Aceto di vino bianco - 1 cucchiaino
- Olio d'oliva - 7 cucchiai.
- Infiorescenze di erba cipollina (tritate) - 45 g (3 cucchiai. L.)
- Pomodori alla crema, gialli - 4-5 pezzi
- Sale e pepe nero qb

PREPARAZIONE

1. Accendi la griglia per preriscaldare a temperatura media. Lessare le patate in

acqua leggermente salata fino a renderle morbide, per circa 10 minuti.

2. Nel frattempo preparare il condimento di pomodoro e patate. In una piccola ciotola, unire l'erba cipollina, l'aceto di vino e 5 cucchiai di olio d'oliva. Gettate le patate lesse in uno scolapasta, lasciate scolare l'acqua, quindi tagliate ogni tubero nel senso della lunghezza, a metà. Aggiungere sale e pepe a piacere.
3. Quando la griglia sarà sufficientemente calda, prendere le patate una metà alla volta, immergere le fette nell'olio rimasto e disporle sulla griglia, con il lato tagliato verso il basso. Friggere per circa 5 minuti.
4. Girare le metà delle patate e friggerle per circa 3 minuti. Mettere le patate fritte in una ciotola capiente, condire con il condimento e mescolare.
5. Mettere le metà del pomodoro sulla griglia e friggere per 3 minuti.

6. Servire le patate con i pomodori.

28 Insalata di patate dolci

INGREDIENTI

Per l'insalata:

- Patata dolce piccola - 1 kg
- Foglie di pisello fagiolo verde - 140 g
- Formaggio a pasta molle (sbriciolato) - 1 bicchiere
- Mirtilli rossi caramellati secchi - 1/2 tazza
- Olio vegetale

- Peperoncino (seminato e tritato finemente) - 1 pz.
- Semi di zucca (tostati, sbucciati) - 1/2 tazza

Per il rifornimento:

- Aceto di vino rosso - 1/4 tazza
- Coriandolo fresco (tritato) - 2 cucchiai.
- Cipolla per insalata (tritata) - 2 cucchiai.
- Zenzero fresco (tritato su una grattugia) - 1 cucchiaio.
- Miele liquido - 2 cucchiai.
- Buccia d'arancia - 2 cucchiaini
- Senape di Digione - 2 cucchiaini
- Sale - 1/2 cucchiaino.
- Olio vegetale - 1/2 tazza

PREPARAZIONE

1. Prepara il condimento. In una piccola ciotola unire aceto, coriandolo, cipolla, zenzero, miele, scorza d'arancia, senape e

sale, mescolare bene, quindi aggiungere l'olio e mescolare di nuovo bene. Mettere da parte.

2. Prepara l'insalata. Ungere la griglia con olio vegetale e accendere la griglia per preriscaldare a temperatura medio-alta (180-200 gradi).
3. Pelare la patata dolce e tagliarla a fette spesse circa 1,2 centimetri. Lessare le patate dolci in acqua fino a renderle morbide e cartilaginee, per circa 5-6 minuti. Asciugare e spennellare con olio vegetale.
4. Mettere le patate dolci sulla griglia, coprire la griglia e friggere le patate dolci su entrambi i lati (solo 8-10 minuti) finché sono teneri. Mescolare le patate dolci fritte in una grande ciotola con il peperoncino e il condimento.
5. Mettere le foglie di fagiolo verde su un piatto da portata, cospargere di

formaggio e mirtilli rossi. Mettere le patate sul fagiolo verde e cospargere i semi di zucca sull'insalata di patate dolci.

6. Servire subito l'insalata di patate dolci.

CAPITOLO QUATTRO
Ricette Di Pollame

29 Petto di pollo alla griglia con salsa di soia

INGREDIENTI

- 750 g di filetto di petto di pollo

Per la salsa:

- 2 cucchiai di salsa di soia

- 1 cucchiaio di miele
- 2 spicchi d'aglio schiacciati
- 1 cucchiaino di zenzero fresco grattugiato
- 1 cucchiaino di zucchero di canna
- 1 bicchiere da tè di olio d'oliva
- sale
- Pepe nero

PREPARAZIONE

1. Prendi gli ingredienti per la salsa in una ciotola profonda e mescola.
2. Taglia il petto di pollo a pezzi grandi. Prendi la carne di pollo nella ciotola contenente la salsa e mescola. Stendere la pellicola e lasciarla riposare in frigorifero per 1 ora. Indice delle carni in bottiglia, cuocere alla griglia. Servire caldo.

30 Ricetta di pollo con salsa

Per 4 persone

Tempo di cottura: 20 minuti

INGREDIENTI

- 800 grammi di petto di pollo filetto
- 2 cucchiai di olio d'oliva, 1 pomodoro
- 1 spicchio d'aglio, 1 bulbo di cipolla piccola
- 1 cucchiaino di concentrato di pomodoro
- 1 cucchiaino di salsa piccante (o 1/2 cucchiaino di peperone rosso in polvere)
- 1 cucchiaino di origano, 1 cucchiaino di coriandolo (se lo si desidera)
- 1/4 cucchiaino di cumino

PREPARAZIONE

1. Se avete tempo per prolungare il periodo di marinatura della carne di pollo nella miscela di salsa che preparate, lasciate per 1 ora in frigorifero.
2. Puoi anche cuocere il pollo con la salsa sulla griglia o in padella su carta unta.
3. Tagliate i petti di filetto di pollo che lavate in acqua e asciugate con carta assorbente a listarelle lunghe e sottili.
4. Per il composto di salsa; dopo aver sbucciato la buccia, scolate il succo della cipolla che avete piallato. Puoi usare la porzione di posa per un altro pasto.
5. Grattugiate il pomodoro con la parte sottile della grattugia. Metti il succo di cipolla e i pomodori grattugiati in una ciotola profonda. Mescolare con olio d'oliva, aglio grattugiato, concentrato di pomodoro, salsa piccante, timo, cumino e coriandolo.

6. Prendi i filetti di petto di pollo tritati nel boccale, coprili e lasciali in frigorifero.
7. Per lunghi periodi di riposo (almeno un'ora e una notte se avete tempo), passate la carne di pollo in orizzontale agli spiedini di legno.
8. Cuocere il prima possibile capovolgendo il duplex su una padella o una griglia preriscaldata.
9. Secondo il desiderio; Condividilo con i tuoi cari su lavash riscaldato con l'aggiunta di foglie di lattuga riccia, cipolle rosse tagliate ad anello e fette di pomodoro.
10.

31 cosce di pollo salate con marinata alla griglia

Tempo di cottura: da 30 a 60 min

INGREDIENTI

- Un dito d'aglio (schiacciato)
- 1/2 cucchiaio di senape
- 2 cucchiaini di zucchero (marrone)
- Un cucchiaino di peperoncino in polvere
- Pepe (nero, macinato fresco)
- 1 cucchiaio di olio d'oliva
- 5 pezzi di coscia di pollo

PREPARAZIONE

1. Per le cosce di pollo piccanti con marinata alla griglia, mescolare l'aglio con la senape, lo zucchero di canna, il peperoncino in polvere, un pizzico di sale e una macinata di pepe. Mescolare con l'olio.
2. Strofinare le cosce di pollo con la marinata e lasciar marinare per 20 minuti.
3. Metti le cosce di pollo nel cestello e spingi il cestello nella pentola a pressione. Imposta il timer su 10-12 minuti.
4. Friggere le cosce di pollo a 200 ° C fino a dorarle. Ridurre al minimo la temperatura a 150 ° C e friggere le cosce di pollo per altri 10 minuti fino a quando non saranno cotte.
5. La coscia di pollo piccante con marinata al barbecue con insalata di mais e baguette.

32 Ricetta di pollo italiano alla griglia biologica

INGREDIENTI

- 1 libbra di petto di pollo biologico senza ossa
- 1/4 tazza di condimento italiano / marinata

PREPARAZIONE:

1. Brucia la griglia a fuoco medio.
2. Se si utilizza una bistecchiera, impostare i fornelli a fuoco medio.
3. Marinare il pollo nel condimento italiano per almeno 1 ora.

4. Spalmare il petto di pollo con condimento / marinata italiana e disporlo sulla griglia.
5. Lessare il pollo e attaccarlo con il condimento / marinata italiana per tutto il tempo di cottura.
6. Cuocere fino a quando il pollo raggiunge la temperatura interna di circa 20 minuti e girare il pollo a metà dall'altra parte.

33 Pollo alla griglia California

INGREDIENTI

- 3/4 c. aceto balsamico
- 1 cucchiaino. Polvere d'aglio
- 2 cucchiai. miele
- 2 cucchiai. olio extravergine d'oliva
- 2 cucchiaini. Spezie italiane
- Sale kosher
- Pepe nero appena macinato
- 4 petti di pollo disossati senza pelle
- 4 fette di mozzarella
- 4 fette di avocado
- 4 fette di pomodoro
- 2 cucchiai. Basilico appena tagliato per guarnire
- Glassa balsamica per condire

PREPARAZIONE

1. In una piccola ciotola sbatti l'aceto balsamico, l'aglio in polvere, il miele, l'olio e le spezie italiane e condisci con

sale e pepe. Versate il pollo e lasciate marinare per 20 minuti.

2. Quando sei pronto per grigliare, riscalda la griglia a medio-alta. Grattugiare l'olio e il pollo fino a quando saranno carbonizzati e ben cotti, 8 minuti per lato.
3. Top pollo con la mozzarella, l'avocado e il pomodoro e la griglia del coperchio si scioglie, 2 minuti.
4. Guarnire con basilico e poi irrorare con un po 'di glassa balsamica.

34 pollo alla griglia

INGREDIENTI

- 1 pollo intero, asciutto
- 3 cucchiai di grasso da cucina fuso Paleo
- 3 cucchiai di rosmarino fresco, tritato finemente
- 2 cipolle, sbucciate e tagliate in quarti
- 4 carote, sbucciate e tagliate a fettine
- 2 peperoni, tritati
- 2 limoni tagliati a metà
- Sale marino e pepe nero appena macinato

PREPARAZIONE

1. Preriscaldare il forno a 204 C.
2. Metti il pollo, a faccia in giù, su un tagliere. Taglia lungo entrambi i lati del dorso da un'estremità all'altra con le forbici da cucina e rimuovi il dorso. Capovolgi il petto di pollo e aprilo come

un libro. Premere con decisione i seni con il palmo per appiattirli.

3. In una piccola ciotola, mescolare il grasso di cottura e 2 cucchiai di grasso. di rosmarino.
4. Strofinare il pollo con 2/3 del composto di grasso e rosmarino e condire il pollo per farlo insaporire con sale marino e pepe macinato.
5. Copri una teglia grande con un foglio di alluminio.
6. Adagiare il pollo sulla teglia e circondarlo con le verdure e i limoni.
7. Versare il composto di grasso e rosmarino rimanenti sulle verdure e condire a piacere.
8. Mettere la teglia in forno per 1 ora o fino a quando un termometro per carne indica 73 ° C nella parte più spessa del petto.

9. Togli il pollo dal forno; spremi un po 'di succo di limone e vai.

Ricetta 35 ali con salsa

Per 4 persone Tempo di preparazione: 20 minuti Tempo di cottura: 50 minuti

INGREDIENTI

- 1 chilogrammo di ala di pollo
- 4 cucchiai di olio di girasole
- 4 cucchiai di latte
- 2 cucchiai di yogurt
- 1 cucchiaino di concentrato di pomodoro
- 1 cucchiaino di salsa piccante
- 2 spicchi d'aglio
- 1/2 cucchiaino di aceto d'uva
- 1/2 cucchiaino di miele, 1 foglia di alloro
- 1 cucchiaino di origano
- 1 cucchiaino di pepe nero macinato fresco
- 1 cucchiaino di sale
- 1 rametto di rosmarino fresco

Suggerimento della ricetta della salsa alata: prolungare la miscela di marinatura aumenterà il sapore delle ali di pollo.

PREPARAZIONE

1. Lavate le ali di pollo in abbondante acqua e eliminate l'acqua in eccesso con l'aiuto della carta assorbente.
2. Grattugia l'aglio. Mescolare olio di semi di girasole, latte, yogurt, concentrato di pomodoro, salsa piccante e miele in una ciotola capiente.
3. Aggiungere l'aglio grattugiato, l'alloro, il timo, il pepe nero colorato appena macinato, i rami di rosmarino estratti e il sale. Mescola tutti gli ingredienti.
4. Mettete le ali di pollo nel composto di salsa che avete preparato e adagiatele in un'unica fila sulla teglia da forno.
5. Cuocere in forno preriscaldato a 180 gradi per 45-50 minuti. Servire le ali calde, che disegnano la salsa e aromatizzate con le spezie.

36 Pollo con salsa barbecue

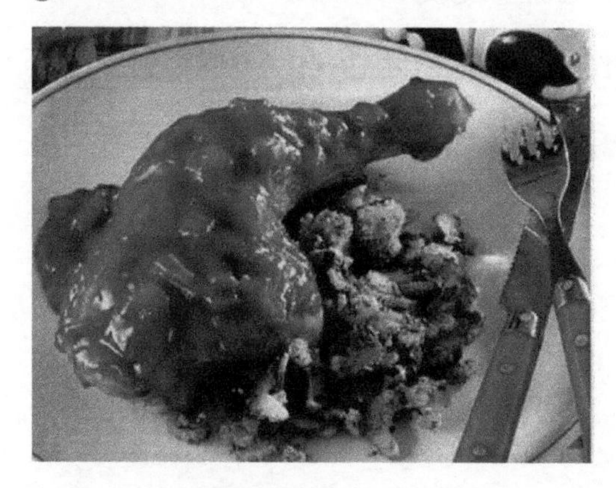

INGREDIENTI

- 4 pezzi di cosce di pollo
- Sale pepe
- 300 ml. Salsa barbecue o ketchup
- 500 gr. Gambo di sedano
- 1 cucchiaio di olio liquido
- zucchero
- 1 cucchiaio da dessert di aceto

PREPARAZIONE

1. Lavate e pulite accuratamente le cosce di pollo, quindi salate e pepate.
2. Adagiare le cosce sulla teglia con le bucce rivolte verso il basso.
3. Cuocere in forno riscaldato a 200 ° per 15 minuti, capovolgere e cuocere per altri 15 minuti.
4. Spalmare uno spesso strato di salsa barbecue o ketchup e cuocere per altri 5 minuti.
5. Tagliate finemente i gambi di sedano, tritate le foglie.

6. Gambi di sedano sott'olio per 5 minuti, spolverare con un pizzico di zucchero spolverare, far circolare l'aceto.
7. Aggiungere le foglie tritate, sale e pepe.
8. Servire il pollo con verdure e salsa.

37 Pollo alla griglia con salsa ranch

INGREDIENTI

- Pollo
- 1 libbra di pollo (4 libbre)
- 10 ml (2 cucchiaini) di sale
- 5 ml (1 cucchiaino) di aglio in polvere
- ½ limoni

- 1 ricetta di vinaigrette ranch, insalata
- 4 gambi di sedano, tritati
- 1 bulbo di finocchio, tritato finemente
- 1 cipolla verde, tritata
- 30 ml (2 cucchiai) di foglie di finocchio tritate
- 30 ml (2 cucchiai) di olio d'oliva
- 15 ml (1 cucchiaio) di succo di limone

PREPARAZIONE

1. Su un piano di lavoro, usando il coltello da chef o le forbici da cucina, rimuovi l'osso dal dorso del pollo. Girare il pollo e tagliarlo a metà al centro del petto. Metti i pezzi in una grande pirofila. Cospargere la pelle di pollo con sale e aglio in polvere. Strofinare l'esterno e poi l'interno del pollo con la parte tagliata del limone. Ricopri accuratamente con 1/2 tazza (125 ml) di vinaigrette ranch. Coprire e conservare in frigorifero per 12 ore.

2. Preriscaldare metà del barbecue ad alta potenza. Ungere la griglia sul lato esterno.
3. Scolare la carne. Posizionare il pollo sulla sezione off-the-grill, con il lato della pelle sulla griglia. Chiudi il coperchio del barbecue. Cuocere 45 minuti mantenendo una temperatura di 200 ° C (400 ° F). Rimettere il pollo e continuare la cottura per 35 minuti o fino a quando un termometro inserito nella coscia, senza toccare l'osso, indica 180 ° F (82 ° C) mantenendo una temperatura di 200 ° C (400 ° F). Termina la cottura sulla sezione illuminata del barbecue per contrassegnare il pollo.

CAPITOLO CINQUE

Ricette Di Agnello

38 Spiedini di agnello con salsa al miele

INGREDIENTI

- Spalla di agnello disossata (tagliata a cubetti di 5 cm) - 400 g
- Aglio (tritato) - 1 spicchio
- Cumino macinato (cumino) - 1 cucchiaino.
- Peperone rosso essiccato, fiocchi - 1/4 cucchiaino.
- Aceto rosso di vino - 2 cucchiaini
- Miele - 1 cucchiaino.

- Olive verdi snocciolate (tritate) - 2 cucchiai.
- Menta fresca (foglie tritate) - 2 cucchiai.
- Olio extravergine di oliva - 3 cucchiai.
- Sale qb
- Cous cous per guarnire (facoltativo)

PREPARAZIONE

1. In una ciotola media, mescola la carne tritata con 1 cucchiaio di olio, 1/2 cucchiaino di aglio, 1/2 cucchiaino di cumino, 1/2 cucchiaino di sale e peperoncino a scaglie.
2. Accendi la griglia per preriscaldare ad alta temperatura.
3. In una piccola ciotola, unire l'aceto, la menta, il miele, le olive, l'aglio avanzato, il cumino e l'olio d'oliva.
4. Infilare la carne su 4 piccoli spiedini e disporla sulla griglia. Friggere per circa 3-4 minuti su ogni lato.

5. Mettere gli spiedini su un piatto (facoltativo - con un contorno), versare sopra con salsa al miele.

39 Agnello alla Griglia

INGREDIENTI

- Bistecca di agnello con osso, spessore 2,5 cm - 8 pz. (120 g l'uno)
- Cannella in polvere - 0,75 cucchiaini
- Pepe nero macinato - 0,5 cucchiaini.
- Pimento macinato - 0,25 cucchiaini
- Cumino macinato (cumino) - 0,25 cucchiaini.

- Sale - 1/8 cucchiaino.
- Pepe rosso macinato - 1/8 cucchiaino.
- Olio vegetale
- Spicchi di lime per servire

PREPARAZIONE

1. Accendi la griglia per preriscaldare a temperatura medio-alta. Ungere la griglia con olio.
2. In una piccola ciotola, unire cannella, pepe nero, pimento, cumino, sale e pepe rosso. Strofinare le bistecche di agnello con questa miscela su tutti i lati.
3. Mettere le bistecche sulla griglia e cuocere per 4-5 minuti su ogni lato.
4. Servire la bistecca di agnello con spicchi di lime. Guarnire a piacere.

40 Cosciotto d'agnello alla griglia

INGREDIENTI

- Coscia di agnello - 2 kg
- Una miscela di 5 peperoni - 2 cucchiai.
- Sale affumicato (sale grosso con pancetta croccante fritta) - 1,5 cucchiai.
- Cumino - 1 cucchiaino
- Alici - 20 g
- Rosmarino - 8 rametti
- Timo - 8 rami
- Aglio - 5 chiodi di garofano

PREPARAZIONE

1. Prepariamo una miscela per lo sfregamento. Per fare questo, scaldare

una miscela di cinque peperoni a fuoco massimo in una padella asciutta fino a quando non avranno odore.

2. Successivamente, macinare la miscela riscaldata di peperoni in un mortaio con sale affumicato e 1 cucchiaino di cumino. Strofina la gamba con questa miscela da tutti i lati. Successivamente, eseguiamo diverse forature profonde 5 cm.
3. Cospargiamo la coscia con acciughe, aglio (tagliando a metà gli spicchi, immergendoli nel composto per lo sfregamento), rosmarino, timo.
4. Riavvolgete con una corda e infornate su una griglia a carbone, in modo indiretto, cioè disponendo dei carboni attorno alla gamba. Ho infornato per circa due ore ad una temperatura di 200-220 gradi. Quindi, avvolgere la gamba in un foglio e lasciare agire per 15 minuti. Servito con peperoni grigliati e pesto. E anche con

funghi marinati con maionese, salsa di soia, olio all'aglio, coriandolo. Buon Appetito!

41 Agnello (Agnello) Marinato In Salsa Di Acciughe

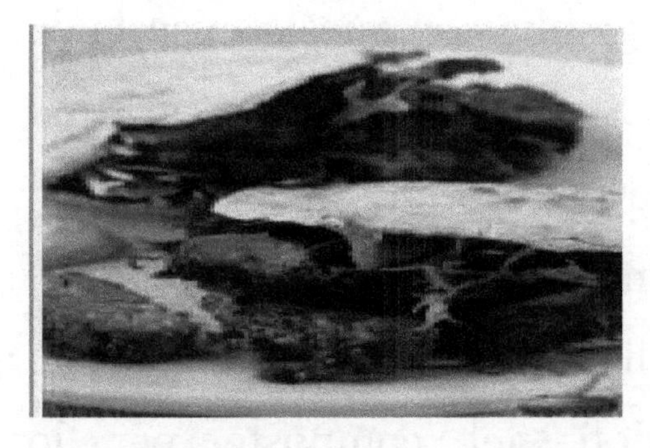

INGREDIENTI

- Montone (agnello), filetto - 1 pz. (650-700 g)
- Cipolle a bulbo - 1 pz.
- Alici salate sott'olio - 1 barattolo (150 g)
- Capperi - 2 cucchiai
- Olio d'oliva - 3 cucchiai.

PREPARAZIONE

1. Fare dei tagli sulla carne trasversalmente, a circa 1 cm di profondità. Pelare la cipolla e tagliarla in 4 pezzi. Scolare le acciughe e i capperi. Unire le cipolle, le acciughe, i capperi e l'olio d'oliva in un frullatore fino ad ottenere una pasta. Spennellate la salsa di agnello cotta in modo che il composto vada nei tagli. Lasciar marinare in frigorifero per 30 minuti.
2. Preriscalda il barbecue o la griglia (non ci dovrebbero essere fiamme sulla brace). Arrostire il filetto a fuoco lento per 40 minuti, girandolo spesso. Disporre su un piatto e lasciare in un luogo caldo per 10 minuti.
3. Tagliare la carne a fette di 1 cm. Servire con pane azzimo ed erbe aromatiche. Puoi servire salsa di ceci (hummus) con agnello fritto.
4. Buon Appetito!

42 Cosciotto d'agnello alla griglia

INGREDIENTI

- Cosciotto di agnello disossato (carne di agnello) - 1,3 kg
- Olio vegetale (girasole)
- Sale grosso
- Pepe nero macinato

Marinata:

- Olio d'oliva (extravergine) - 2 tazze
- Erbe aromatiche fresche (origano, timo, santoreggia, prezzemolo, rosmarino), tritate grossolanamente - 2 tazze

- Aglio, tritato grossolanamente - 24 chiodi di garofano
- Scorza di 4 limoni, finemente grattugiata
- Sale grosso - 3 cucchiaini
- Pepe nero macinato - 2 cucchiaini.

PREPARAZIONE

1. Taglia la coscia di agnello al centro, lasciando 2,5 cm e aprila come un libro. Sbattere a uno spessore di circa 3 cm su tutta la superficie. Mescola tutti gli ingredienti della marinata. Lascia ½ tazza. Mettere il resto della marinata e della carne in un sacchetto di plastica e chiuderlo. Mescola il contenuto della borsa. Lasciare marinare la carne in frigorifero per almeno 8 ore (fino a 1 giorno). Gira periodicamente il sacchetto di carne.
2. Togli l'agnello dalla marinata e asciugalo tamponando. Lasciare a temperatura ambiente per 1 ora.

3. Preriscalda la griglia a 175-190 gradi (quando puoi tenere la mano senza fastidio sulla griglia a una distanza di 10 cm per 4-5 secondi). Ungere leggermente la griglia. Condire la carne con sale e pepe su entrambi i lati. Friggere, premendo le pinze contro la griglia per 5-6 minuti (dopo 3 minuti, girare la carne di 90 gradi). Girare l'agnello, spennellare con la marinata di riserva. Friggere l'altro lato per 5-6 minuti, girando anche la carne di 90 gradi.
4. Lasciare la carne per 5 minuti e poi tritarla. Servire con la rimanente marinata. Buon Appetito!

43 costolette di agnello in marinata al limone e aglio

INGREDIENTI

- Olio d'oliva - 1 cucchiaio.
- Succo di limone fresco - 2 cucchiai
- Scorza di limone grattugiata su una grattugia fine - ½ cucchiaino.
- Origano - 2 cucchiai l. erba fresca o 2 cucchiaini. essiccato
- Aglio tritato - 6 chiodi di garofano (2 cucchiai. L.)
- Sale - ½ cucchiaino.
- Pepe nero macinato - ¼ cucchiaino.

- Lonza di agnello giovane con costolette (tagliare tutto il grasso dalla carne) - 8 pz. 110-120 g l'uno

PREPARAZIONE

1. Preriscaldare la griglia o la griglia a fuoco medio.
2. Prepara la marinata per le costolette. In una piccola ciotola, unire l'olio, il succo di limone, la scorza, l'origano, l'aglio, il sale e il pepe.
3. Mettere le costine in un sacchetto di plastica richiudibile e versarvi la marinata. Chiudi e mescola il contenuto della busta. Lasciare a temperatura ambiente per 20 minuti (fino a 1 ora).
4. Rimuovere i pezzi di carne dalla marinata. Arrostire le costolette di agnello sulla griglia o sotto la griglia al grado di cottura desiderato (se 4-5 minuti per lato - la carne sarà fritta

all'esterno e rosa all'interno). Buon Appetito!

44 Agnello alla Griglia

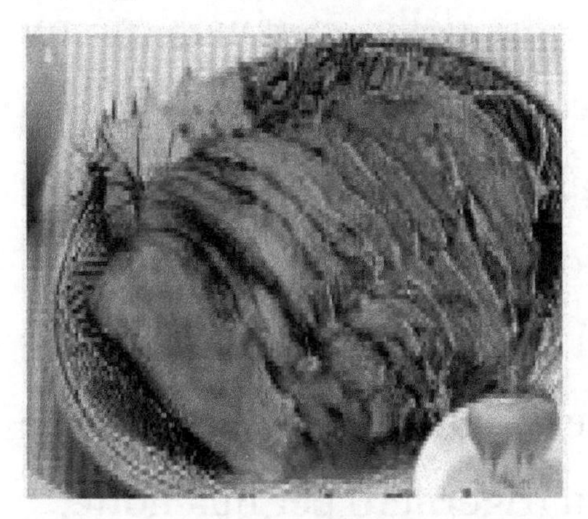

INGREDIENTI

- Senape di Digione - 1 bicchiere
- Salsa di soia - 1/2 tazza
- Olio d'oliva - 2 cucchiai.
- Rosmarino fresco (tritato) - 1 cucchiaio.
- Zenzero macinato - 1 cucchiaino
- Aglio (tritato) - 1 spicchio
- Stinco di agnello disossato - 1 pz. (2-2,5 kg)

PREPARAZIONE

1. In una ciotola unire la senape, la salsa di soia, l'olio d'oliva, il rosmarino, lo zenzero e l'aglio. Prendi 2/3 di tazza di questa massa e metti in frigorifero.
2. Versare il resto della marinata in un grande sacchetto di plastica con chiusure. Pulisci la carne dal grasso e dalle pellicole, se presenti. Mettere l'agnello nel sacchetto della marinata, agitare bene, chiudere il sacchetto e conservare in frigorifero per una notte.
3. Accendi la griglia per preriscaldare a temperatura media. Togliere la carne dalla marinata e disporla sulla griglia unta d'olio. Mettere il coperchio sulla griglia e cuocere la carne per circa 50-70 minuti (il termometro per carne dovrebbe mostrare una temperatura di 75-85 gradi). Trasferite la carne finita su un tagliere, coprite con carta stagnola e lasciate riposare per 10 minuti, quindi

tagliate la carne a fette e servite subito con la marinata riservata.

45 hamburger di cotoletta di agnello

INGREDIENTI

- Pita sottile piccola - 8 pz. (30 g l'uno)
- Montone macinato - 450 g
- Feta (sbriciolata) - 0,25 tazze
- Cumino macinato - 0,25 cucchiaini
- Pepe nero macinato - 0,25 cucchiaini.
- Olio vegetale
- Cipolla rossa (anelli) per servire (opzionale)

- Germogli di erba medica per servire (facoltativo), cetriolo (fette) per servire (facoltativo)

Per la salsa:

- Piselli surgelati (scongelati) - 2 tazze
- Aglio - 2 chiodi di garofano
- Menta fresca, foglie - 0,5 tazze
- Olio d'oliva - 1,5 cucchiaini.
- Acqua - 1 cucchiaino, sale - 0,25 cucchiaini

PREPARAZIONE

1. Mettere tutti gli ingredienti per la salsa nella ciotola di un robot da cucina e macinare fino a che liscio. Metti da parte la salsa. Accendi la griglia per preriscaldare a temperatura medio-alta.
2. In una grande ciotola, unire la carne macinata, il formaggio, il cumino e il pepe nero. Dividete la carne macinata in 4 parti, formate da ognuna una cotoletta rotonda.

3. Ungere la griglia con olio vegetale, adagiarvi sopra le cotolette e friggere per circa 6 minuti per lato. Trasferire le cotolette su un piatto e far riposare per 5 minuti.
4. Tagliare ciascuna cotoletta a metà nel senso della lunghezza. E tagliare ogni torta pita a metà nel senso della lunghezza, ma non fino alla fine. Al centro di ogni fossa, applica 1 cucchiaio. cucchiaio di salsa, mettere su una cotoletta e una scelta di cipolle / germogli / cetriolo.
5. Servi subito gli hamburger.

46 Agnello con menta e peperone

INGREDIENTI

- Spalla d'agnello - 4 pezzi (200-250 g ciascuno, 2,5 cm di spessore)
- Rosmarino essiccato - 1 cucchiaio
- Sale grosso
- Pepe nero macinato
- Succo di limone fresco - 3 cucchiai
- Olio d'oliva - 1 cucchiaio.
- Senape di Digione - 2 cucchiaini

- Peperone rosso, tritato finemente - 1/3 di tazza
- Menta fresca, tritata finemente - ½ tazza
- Cipolle verdi, tritate - 1 pz.

PREPARAZIONE

1. Preriscaldare la griglia (broiler). Strofinare la carne (pezzi spessi 2,5 cm) su entrambi i lati con rosmarino (¾ cucchiaino), sale (¾ cucchiaino), pepe (¼ cucchiaino). Cuocere fino a quando desiderato, circa 4 minuti per lato (o leggermente più a lungo fino a quando la carne è media), girando i pezzi una volta.
2. Unisci succo di limone, olio d'oliva e senape. Aggiungere i peperoni, la menta e le cipolle verdi. Servire l'agnello arrosto caldo con la salsa preparata sulla carne.
3. Versare una tazza d'acqua in una padella capiente (per coprire il fondo), aggiungere ¼ di cucchiaino. sale. Portare ad ebollizione. Aggiungere 3 zucchine

medie, tagliate a cerchi. Cuocere per 3-4 minuti. Scartare in uno scolapasta, trasferire in una ciotola. Condisci 1 cucchiaio di zucchine. l. olio d'oliva. Cospargere con 2 cucchiai. l. cipolle verdi tritate, sale, pepe e mescolate.

47 Agnello con Salsa allo Yogurt

INGREDIENTI

- Yogurt naturale senza grassi - 1/2 tazza
- Menta tritata - 1 cucchiaio.
- Succo di limone - 1 cucchiaino
- Aglio (tritato) - 1 spicchio
- Sale - 1/2 cucchiaino.

- Pepe nero macinato - 1/2 cucchiaino.
- Agnello (filetto) - 4 pezzi (250 g)
- Olio vegetale per la lubrificazione

PREPARAZIONE

1. Preriscalda la griglia.
2. Mescola i primi 4 ingredienti. Aggiungi 1/8 cucchiaino. sale e 1/8 cucchiaino. Pepe. Refrigerare.
3. Condire la carne con sale e pepe. Ungete una padella con olio, metteteci sopra l'agnello, fate soffriggere per 3-4 minuti per lato. Servire con salsa allo yogurt.

48 Cotolette di Agnello con Melanzane

INGREDIENTI

- Trito di agnello - 500 g
- Aglio (sbucciato e tritato finemente) - 2 chiodi di garofano
- Foglie di coriandolo (tritate finemente) - 1/2 tazza
- Formaggio di capra (originale Halloumi) (grattugiato) - 100 g

- Sale e pepe nero qb
- Melanzane piccole (tagliate a metà) - 16 pezzi
- Olio d'oliva
- Yogurt naturale - 140 g (1/2 tazza)
- Pane turco (a fette e fritto)
- Lattuga, peperoncino tritato finemente e foglie di menta per servire

PREPARAZIONE

1. In una grande ciotola aggiungere l'agnello tritato, il coriandolo, mezzo aglio, il formaggio, il sale e il pepe nero a piacere, mescolare bene. Formare 4 cotolette dalla massa risultante e mettere da parte.
2. Preriscaldare la griglia a fuoco medio; Ungere le melanzane e metterle sulla griglia, friggerle per circa 3 minuti per lato. Trasferire in un piatto e mettere da parte.

3. Cospargere le costolette di agnello con il burro e disporle su una gratella, soffriggere per circa 4 minuti per lato.
4. In una piccola ciotola, mettete lo yogurt e l'aglio rimasto e mescolate bene.
5. Mettete la salsa allo yogurt sulle fette di pane, mettete sopra le foglie di lattuga e sopra le costolette di agnello, le melanzane fritte e il peperoncino. Decorare con foglie di menta.

49 Agnello alla griglia con salsa al rabarbaro

INGREDIENTI

Per grigliare:

- Bistecche di agnello con osso, spessore 2,5 cm - 12 pz. (120 g l'uno)
- Aglio (tagliato a fette sottili) - 2 chiodi di garofano
- Olio d'oliva - 1 cucchiaino.
- Pepe nero in grani (sbriciolato) - 1 cucchiaino.
- Olio vegetale per grigliare

Per la salsa:

- Rabarbaro (tritato finemente) - 6 steli
- Cipolle (tritate finemente) - 1 pz.
- Miele liquido - 1/3 di tazza
- Aceto di sidro di mele - 1/4 tazza
- Uvetta dorata - 1/2 tazza
- Peperoncino (seminato e tritato finemente) - 1 pz.
- Aglio (tritato finemente) - 4 chiodi di garofano
- Scatole intere di cardamomo (legate in un sacchetto di garza) - 8 pezzi.

- Coriandolo fresco (tritato) -1 bicchiere

PREPARAZIONE

1. Preparate la salsa di agnello. In una casseruola media, unire rabarbaro, cipolla, miele, aceto, uvetta, peperoncino, aglio e un sacchetto di cardamomo. Versare 1/2 tazza di acqua sul contenuto di una casseruola, mettere a fuoco medio-alto e portare a ebollizione. Ridurre la fiamma al minimo, coprire la casseruola e cuocere la salsa di agnello fino a quando il rabarbaro è molto morbido, circa 15 minuti. La salsa finita dovrebbe essere assaggiata e, se necessario, aggiungere un po 'più di miele o peperoncino. Togli la casseruola dal fuoco, togli il sacchetto di cardamomo e aggiungi il coriandolo nella casseruola. Questa salsa di agnello può essere servita calda o refrigerata.

2. Sciacquate le bistecche di agnello, asciugatele con carta assorbente e farcite con piatti all'aglio (con un coltello affilato bisognerà fare dei buchi nella carne per la pancetta). Ungete la carne su tutti i lati con olio d'oliva e arrotolate con pepe nero sbriciolato. Lasciar riposare la carne a temperatura ambiente per 30-60 minuti.
3. Ungere la griglia con olio vegetale e accendere la griglia per preriscaldare a temperatura medio-alta. Mettere la carne sulla griglia e grigliare l'agnello per circa 3-4 minuti per lato (la temperatura sul termometro per carne dovrebbe raggiungere i 70 gradi). Una volta cotto l'agnello alla griglia, servire la carne alla griglia con la salsa.

50 Agnello alla griglia con prezzemolo e rosmarino

INGREDIENTI

- Carne di agnello giovane (controfiletto) - 2 kg
- Olio d'oliva - ½ tazza, Aglio - 3 spicchi
- Prezzemolo - 4 cucchiai
- Rosmarino fresco - 3 rametti
- Peperoncino essiccato (fiocchi) - pizzico
- Sale pepe
- Prezzemolo (per guarnire), Olio extravergine di oliva

Per l'insalata:

- Pomodori alla crema - 4 pezzi
- Pomodorini (su un ramo) - 500 g

- Pomodori gialli (desiderabili) - 250 g
- Basilico fresco - 1 mazzetto, Aglio - 1 spicchio
- Cipolla rossa piccola - 1 pz, Olio d'oliva di prima spremitura a freddo - 3 cucchiai.

PREPARAZIONE

1. Eliminare il grasso in eccesso dalla carne e tagliare a metà il filetto. In una grande ciotola, mescola l'olio d'oliva, l'aglio tritato finemente, il prezzemolo tritato, le foglie di rosmarino e il peperoncino a scaglie. Condire con sale e pepe nero a piacere. Mettere l'agnello nella marinata cotta e strofinare bene la carne con il composto. Lasciare in frigorifero per almeno 1 ora.
2. Preriscalda il barbecue o la griglia a carbone. Arrostire l'agnello fino a ottenere il grado di cottura desiderato (8-10 minuti per lato - la carne rimane rosa all'interno). Trasferire su un piatto,

coprire con un foglio e lasciare in un luogo caldo per 20 minuti.

3. Tagliare i pomodori per il lungo in 4 pezzi (lasciare i pomodorini integri, con i gambi), schiacciare uno spicchio d'aglio e tagliare la cipolla a rondelle sottili. Mescolare tutti gli ingredienti dell'insalata, condire con sale e pepe e mescolare delicatamente.
4. Affettare la carne in diagonale e disporla su un piatto da portata. Cospargere con foglie di prezzemolo e condire con olio d'oliva. Servire con insalata di verdure.
5. Buon Appetito!

CONCLUSIONE

Ogni volta che si barbecue, è necessario prendere una decisione importante sul tipo di legna da affumicare da utilizzare. Manzo, maiale, pollame e frutti di mare hanno tutti sapori diversi a seconda del legno. È anche vero che alcuni legni sono associati e completano determinati tipi di carne.

Molti dei migliori esperti di barbecue tacciono quando si tratta di rivelare i loro esatti segreti perché grigliare o fumare con la legna da barbecue è una parte così importante del loro repertorio. Tutto, dal tipo di legno che usano alle loro ricette di salsa a come condiscono la carne prima della grigliatura, può diventare un'arma top secret nella loro ricerca per rimanere in cima al mondo del barbecue.

Lightning Source UK Ltd.
Milton Keynes UK
UKHW021256100521
383453UK00001B/101